ALBUMS DE MYRIAM DERU ET PAULE ALEN
AUX ÉDITIONS GAUTIER-LANGUEREAU

*

LE PETIT NUAGE PRIS DE VERTIGE
LE LUTIN PATISSIER
UNE TOUTE PETITE TAUPE
LE MÉCHANT LOUP

*

LIVRES BILINGUES
UN ANNIVERSAIRE SURPRISE
PREMIER JOUR D'ÉCOLE
POMME ET ANANAS
VICTOR VA EN AFRIQUE

ISBN - 2.217.26017.0
© Gautier-Languereau, 1990
Dépôt légal : Février 1990 - N° d'Éditeur : 5770
Imprimé en Italie

ILLUSTRATIONS DE MYRIAM DERU
HISTOIRE DE PAULE ALEN

Victor va en Afrique

Victor goes to Africa

Gautier-Languereau

Cet album bilingue raconte l'amusante histoire d'un petit chien et de ses amis. C'est le quatrième titre d'une série conçue pour permettre aux jeunes enfants de jouer avec les mots d'une autre langue et de se familiariser avec elle. Les phrases courtes imprimées sur deux colonnes, l'une en français, l'autre en anglais, sont placées sous une grande illustration. Les mêmes mots dans les deux langues se retrouvent ligne à ligne. Sur la page de gauche, un lexique en images reproduit certains éléments de l'illustration, avec les mots correspondants dans les deux langues.

De présentation attrayante, ce livre plaira aux jeunes enfants qui apprennent à lire.

L'ÉDITEUR

Pour Tania Jonkovsky

Here is an amusing bilingual story of a little dog and his friends. This picture book is the fourth title in a series specially conceived so that young children can play with words of another language thereby becoming familiar with them. The short easy-to-read sentences printed in separate columns, one in French, the other in English, are placed under a large illustration. The same words in both languages appear opposite one another on the same level. On the left hand page is a series of small images reproducing subjects to be found in the illustration, with the corresponding words in both languages.
Attractively presented, this book appeals to the young child learning to read.

THE PUBLISHER

pour Dan

lunettes de soleil sunglasses

livres  books

jumelles binoculars

carte map

vase vase

sac à dos  knapsack

Victor et Petit Singe sont amis.
Petit Singe est né en Afrique.
Il veut retourner dans son pays.
Petit Singe ne connaît pas le chemin.
Victor prend sa main.
— Viens avec moi. Nous partons demain !

Victor and Little Monkey are friends.
Little Monkey was born in Africa.
He wants to return to his country.
Little Monkey does not know the way.
Victor takes his hand.
— Come with me. We leave tomorrow !

tandem tandem

selle saddle

maison house

pédale pedal

guidon handlebars

coccinelle ladybird

La valise, le sac à dos,
le tandem sont prêts pour le voyage.
Les amis démarrent.
Ils pédalent sans s'arrêter.
— Victor, je suis fatigué !
— L'Afrique est loin d'ici, tu sais.

The suitcase, the knapsack,
the tandem are ready for the journey.
The friends set off.
They pedal without stopping.
— Victor, I am tired !
— Africa is far from here, you know.

cravate 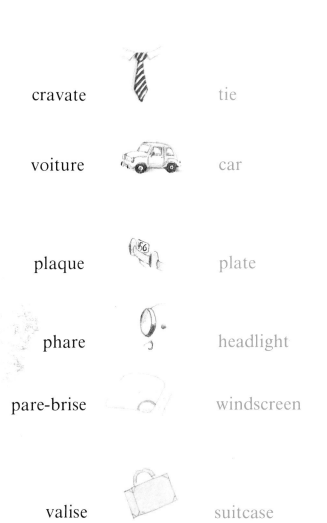 tie

voiture car

plaque plate

phare headlight

pare-brise windscreen

valise suitcase

— Voici mon copain Eddy.
Arrêtons-nous ici !
Eddy est ravi.
Il veut voyager aussi.
— Prenons ma voiture, Victor.
Victor est tout de suite d'accord.

— Here is my pal Eddy.
Let us stop off here !
Eddy is delighted.
He wants to travel too.
— Let us take my car, Victor.
Victor agrees.

rocher rock

locomotive engine

wagon carriage

montagne moutain

billet ticket

sacoche bag

Zut ! une panne.
— Vite, montons dans le train.
Le conducteur est mon cousin.
— Ravi de vous rencontrer, dit Jacky.
Je veux visiter l'Afrique aussi.
— Qu'attendons-nous ? Allons-y !
s'exclame Petit Singe.

Bother ! a breakdown.
— Quick, let us board the train.
The driver is my cousin.
— Glad to meet you, says Jacky.
I want to visit Africa too.
— What are we waiting for ? Let us go !
exclaims Little Monkey.

ancre 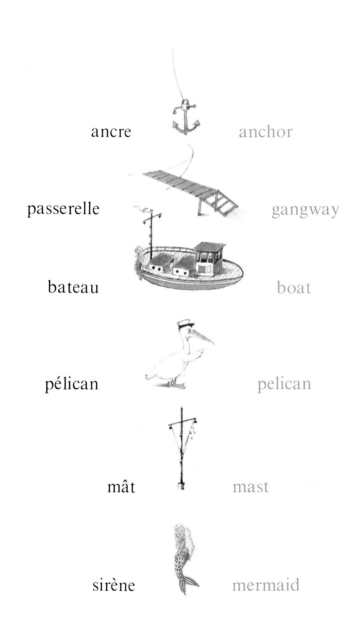 anchor

passerelle gangway

bateau boat

pélican pelican

mât mast

sirène mermaid

Le train s'arrête au port.
— Qu'allons-nous faire, Victor ?
— Je connais le capitaine Danny.
— Vous pouvez voir son bateau d'ici.
Danny invite tout le monde à bord.
— Nous partons tout de suite,
d'accord ?

The train stops in the port.
— What are we going to do, Victor ?
— I know Captain Danny.
You can see his boat from here !
Danny invites everybody on board.
— We leave immediately,
all right ?

car  bus

arbre tree

corde rope

sandales sandals

panier  basket

herbe  grass

Les amis sont sur l'océan.
Ils débarquent sur le sable blanc.
Ils doivent traverser la forêt.
— Montez dans mon car. C'est gratuit.
— Merci, vous êtes très gentil.
— A propos, mon nom est Billy.

The friends are on the ocean.
They disembark on the white sand.
They have to go through the forest.
— Get into my bus. It is free.
— Thank you, you are very kind.
— By the way, my name is Billy.

rhinocéros rhinoceros

avion  plane

chapeau hat

arbre tree

aile  wing

roue wheel

Soudain le bus s'arrête.
Mais voici Benny et son avion.
Bientôt Petit Singe verra
son pays.
Merci, Benny !

Suddenly the bus stops.
But here is Benny and his plane.
Soon Little Monkey will see
his country.
Thank you, Benny !

singe 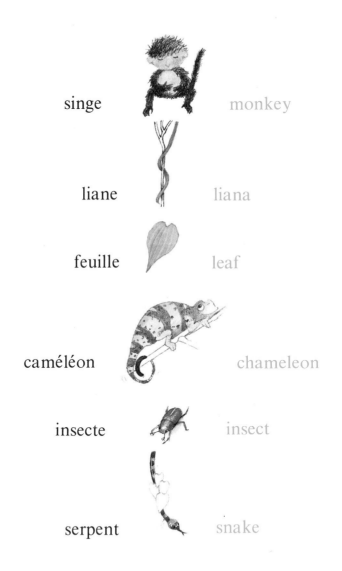 monkey

liane liana

feuille leaf

caméléon chameleon

insecte insect

serpent snake

Victor aperçoit cinq petits singes.
— Vite, posons-nous là !
Les petits singes sont orphelins.
Ils ont soif et faim.
— Nous voulons partir avec vous.
Ici la vie est trop dure pour nous.

Victor sees five little monkeys.
— Quick, let us land there !
The little monkeys are orphans.
They are thirsty and hungry.
— We want to go with you.
Here life is too tough for us.

larme      tear

bec   beak

pantalon   trousers

dos   back

queue   tail

branche   branch

— Viens avec moi, dit Benny au plus petit.
Le plus grand choisit Billy,
le troisième Danny.
Le quatrième préfère Jacky.
Le cinquième suit Eddy.
— Et moi alors? demande Victor.

— Come with me, says Benny to the smallest.
The biggest chooses Billy,
the third Danny.
The fourth prefers Jacky.
The fifth follows Eddy.
— What about me? asks Victor.

hutte   hut

palmier   palm-tree

girafe   giraffe

nuage   cloud

pirogue   dugout

eau   water

Petit Singe fait son choix.
— Victor, je reste avec toi.
Grâce à toi, j'ai vu mon
pays. Tu es mon meilleur ami.
— Je vous invite tous, dit Victor.
Nous rentrons à la maison en avion !

Little Monkey makes his choice.
— Victor, I stay with you.
Thanks to you, I have seen my
country. You are my best friend.
— I invite you all, says Victor.
We are going home by plane !

dessert dessert

diapositives slides

projecteur projector

bonbons sweets

tapis  carpet

verre glass

Le voyage est terminé.
Victor donne une fête.
Petit Singe reste dans notre pays.
Et chacun a de nouveaux amis !

The journey is over.
Victor has a party.
Little Monkey is staying in our country.
And everyone has new friends !